540 ml

Sirop d'érable

PUR

PRODUIT DU QUÉBEC, CANADA
RÉFRIGÉRER APRÈS L'OUVERTURE
FAIT AU CANADA

Le petit livre

SIROP D'ÉRABLE

Recettes et photographies de
FRÉDÉRIQUE CHARTRAND

MARABOUT

REMERCIEMENTS DE L'AUTEUR

Merci à l'équipe de Marabout pour sa confiance, à Aliocha et Émile, à Anne Faubeau et Martine Petit pour le prêt de la vaisselle et enfin à ma famille et ami(e)s du Québec.

www.frederiquechartrand.com
www.biorecettes.com

Shopping : Frédérique Chartrand
Suivi éditorial : Marie-Ève Lebreton
Relecture : Véronique Dussidour
Mise en pages : Gérard Lamarche

© Hachette Livre (Marabout) 2013
ISBN : 978-2-501-08195-5
41 2204 0
Dépôt légal : janvier 2013
Achevé d'imprimer en novembre 2012
sur les presses d'Impresia-Cayfosa en Espagne

SOMMAIRE

KIT « DITES-LE AVEC DES FRUITS »

PAIN PERDU AUX FRUITS ROUGES & SIROP D'ÉRABLE

16 petites tranches de baguette au levain rassise de 2 cm d'épaisseur, 2 œufs, 50 cl de lait de soja nature (ou de lait de vache), 1 pincée de cannelle, ½ gousse de vanille, 2 cuillerées à soupe de sucre de canne blond, 50 g de beurre doux, 300 g de fruits rouges (groseille, framboises, fraises, myrtilles), 10 cl de sirop d'érable

Dans un bol, battre les œufs avec le lait, la cannelle, les grains de la gousse de vanille et le sucre. En imbiber les tranches de pain. Dans une poêle, faire fondre le beurre et y faire dorer les tranches de pain quelques minutes de chaque côté.
Les déposer sur du papier absorbant pour ôter l'excédent de beurre. Recouvrir le pain perdu de fruits rouges et arroser de sirop d'érable avant de servir.

FRUITS RÔTIS AU SÉSAME & AU SIROP D'ÉRABLE

5 ou 6 pêches pas trop mûres, 8 abricots pas trop mûrs, 3 cuillerées à soupe d'huile de sésame toasté, 5 cuillerées à soupe de sirop d'érable, 3 cuillerées à soupe de graines de sésame blondes

Préchauffer le four à 200 °C en position gril. Couper les fruits en quartiers et les déposer sur la plaque du four. Mélanger l'huile de sésame avec le sirop d'érable et en arroser les fruits. Parsemer de graines de sésame. Enfourner et laisser cuire 20 à 25 minutes, jusqu'à ce que les fruits soient dorés.

SALADE D'AGRUMES AU GINGEMBRE CONFIT & SIROP D'ÉRABLE

3 pamplemousses, 3 oranges à jus, 3 oranges sanguines, le zeste et le jus de 1 citron vert, 2 pincées de cannelle, 5 cl de sirop d'érable, 50 g de gingembre confit (en épicerie bio ou asiatique), feuilles de menthe fraîche

Peler les agrumes à vif puis prélever les suprêmes. Les arroser avec le jus de citron et le sirop d'érable. Ajouter la cannelle, les zestes du citron émincés et quelques morceaux de gingembre confit. Parsemer de menthe fraîche ciselée.

KIT À BOIRE !

POUR 1 PERSONNE

SMOOTHIE « PETIT DÉJ » AU SIROP D'ÉRABLE

1 yaourt à la grecque, 15 cl de lait de soja nature, 2 cuillerées à soupe de son d'avoine, 1 cuillerée à soupe d'huile de noisette (facultatif), 1 cuillerée à soupe de graines de chia (ou graines de lin blondes), 100 g de framboises (ou autres fruits), 25 ml de sirop d'érable

Mettre tous les ingrédients dans le bol du mixeur. Mixer jusqu'à obtenir un mélange homogène et lisse. Servir dans un grand verre au moment du petit déjeuner ou du goûter.

« KIR » AU SIROP D'ÉRABLE

1 cuillerée à soupe de sirop d'érable, 15 cl de vin blanc sec, 1 physalis (cerise de terre)

Verser le vin blanc dans un verre puis ajouter le sirop d'érable. Remuer et ajouter le physalis entier avant de servir.

CIDRE AUX 3 PARFUMS & SIROP D'ÉRABLE

5 cl de sirop d'érable, 1 étoile de badiane, ½ bâton de cannelle, 1 cm de gingembre frais, 25 cl de cidre

Réserver le verre au congélateur pour qu'il soit bien glacé. Dans un bol, mélanger le sirop d'érable avec la badiane, la cannelle et le gingembre épluché. Laisser infuser 1 heure puis retirer les épices. Verser le sirop d'érable parfumé au fond du verre puis ajouter le cidre. Servir aussitôt.

KIT VIANDES SAUTÉES

POUR 4 PERSONNES

PORC SAUTÉ À L'ANANAS AU SIROP D'ÉRABLE

500 g de sauté de porc, 1 poivron rouge, 1 poivron jaune, 1 ananas frais (ou en conserve), 1 oignon doux, 2 gousses d'ail, 2 cm de gingembre frais, 2 cuillerées à soupe d'huile d'olive, 3 cuillerées à soupe de sauce soja, 3 cuillerées à soupe de sirop d'érable, quelques feuilles de basilic frais

Couper les poivrons en dés. Éplucher l'ananas, ôter le cœur et le couper en dés. Éplucher l'oignon, l'ail et le gingembre puis les émincer. Dans un wok, faire revenir les légumes, l'ananas et la viande dans l'huile pendant 15 à 20 minutes en remuant fréquemment. Ajouter la sauce soja et le sirop d'érable avant la fin de la cuisson. Mélanger. Parsemer de basilic ciselé et servir.

CANARD SAUTÉ AUX PRUNES & SIROP D'ÉRABLE

500 g d'aiguillettes de canard, 6 ou 8 prunes, 1 grappe de raisin noir, 1 oignon doux, 2 cuillerées à soupe d'huile de pépins de raisin (ou d'huile neutre), 2 cuillerées à soupe de saké, 2 cuillerées à soupe de sauce soja, 2 cuillerées à soupe de nuoc-mâm, 2 cuillerées à soupe de sirop d'érable, quelques feuilles de coriandre fraîche

Éplucher et émincer l'oignon. Dans un wok, faire revenir l'oignon dans l'huile à feu très doux jusqu'à ce qu'il soit translucide. Dénoyauter les prunes et les couper en quartiers. Couper les raisins en deux. Couper les aiguillettes en morceaux. Dans un bol, mélanger le saké avec la sauce soja, le nuoc-mâm et le sirop d'érable. Ajouter les fruits et la viande dans le wok. Faire griller quelques minutes, ajouter la sauce et faire cuire à feu vif quelques minutes. Parsemer de coriandre ciselée et servir.

SAUTÉ DE DINDE À LA CITRONNELLE, GROSEILLES & SIROP D'ÉRABLE

500 g de sauté de dinde coupé en cubes, 1 gros oignon doux, 1 branche de citronnelle, 2 cuillerées à soupe d'huile d'olive, 100 g d'amandes effilées, 2 cuillerées à soupe de sauce soja, 3 cuillerées à soupe de sirop d'érable, 150 g de groseilles fraîches

Éplucher et émincer l'oignon. Émincer la citronnelle. Dans un wok, faire revenir la viande, l'oignon et la citronnelle dans l'huile. Une fois la viande cuite, ajouter les amandes, la sauce soja et le sirop d'érable puis laisser cuire encore 2 minutes. Parsemer de groseilles avant de servir.

OMELETTE À LA MIMOLETTE & AU SIROP D'ÉRABLE

10 MIN DE PRÉPARATION – 5 MIN DE CUISSON

POUR 4 PERSONNES

¼ d'oignon rouge

6 œufs

25 ml de crème liquide légère

1 cuillerée à soupe de beurre demi-sel mou

3 cuillerées à soupe de ciboulette ciselée

4 cuillerées à soupe de mimolette râpée

¼ de cuillerée à café de sel

1 cuillerée à soupe d'huile de pépins de raisin (ou huile neutre)

2 cuillerées à soupe de sirop d'érable

1- Éplucher et hacher très finement l'oignon rouge.

2- Dans un saladier, battre les œufs avec la crème liquide et le beurre puis ajouter l'oignon, la ciboulette ciselée, le fromage et le sel. Battre de nouveau.

3- Dans une poêle, faire chauffer l'huile puis verser l'omelette. Laisser cuire 5 minutes à feu moyen, en cassant régulièrement le fond de l'omelette à l'aide d'une cuillère en bois. Plier l'omelette en deux.

4- Déposer l'omelette sur un plat de service et l'arroser de sirop d'érable. Servir aussitôt.

« BEANS » AU LARD & SIROP D'ÉRABLE

12 H DE TREMPAGE – 10 MIN DE PRÉPARATION – 4 À 5 H DE CUISSON

1 - Faire tremper les haricots toute une nuit.
Les égoutter puis les rincer.
2 - Couper le lard en morceaux.
3 - Éplucher et hacher l'oignon.
4 - Dans une casserole, faire revenir l'oignon
et le lard à feu très doux pendant quelques
minutes. L'oignon ne doit pas roussir.
5 - Préchauffer le four à 120°C.
6 - Ajouter le reste des ingrédients. Recouvrir d'eau
à hauteur et porter à ébullition. Dès que l'eau
bout, couvrir la casserole.
7 - Enfourner et laisser cuire 4 à 5 h.

POUR 4 PERSONNES

500 g de haricots blancs
secs

250 g de poitrine de lard
séchée, paysanne

100 g d'oignon

1 cuillerée à soupe
de concentré de tomates

1 cuillerée à café
de graines de moutarde

1 cuillerée à café
de gros sel

1 cuillerée à café
de poivre noir

15 ou 20 cl de sirop
d'érable (selon le goût)

SOUPE DE POIS CASSÉS & SIROP D'ÉRABLE

12 H DE TREMPAGE – 20 MIN DE PRÉPARATION – 1 H DE CUISSON

POUR 4 PERSONNES

200 g de pois cassés
2 carottes
1 poireau
1 oignon doux
300 g de poitrine de lard
séchée et fumée
2 cuillerées à soupe
d'huile d'olive
1 cuillerée à café
de sarriette
1 feuille de laurier
1 cuillerée à café
de baies de coriandre
1 cuillerée à café de sel
quelques tours de moulin
à poivre noir
3 cuillerées à soupe
de sirop d'érable

1- Rincer et faire tremper les pois cassés toute une
nuit dans de l'eau. Égoutter et rincer à grande eau.
2- Éplucher les carottes et l'oignon.
3- Couper les légumes en morceaux.
4- Tailler la poitrine de lard en lardons.
5- Dans un grand faitout, faire revenir les légumes
et les lardons dans l'huile d'olive pendant quelques
minutes à feu moyen. Ajouter les pois cassés.
Recouvrir d'eau à hauteur et porter à ébullition.
Ajouter les épices, le sel, le poivre et le sirop
d'érable. Laisser cuire 1 heure à couvert
et à petits bouillons.

JARRET DE PORC AUX ÉPICES & AU SIROP D'ÉRABLE

15 MIN DE PRÉPARATION – 5 H DE CUISSON

POUR 4 PERSONNES

1 jarret de porc
(1,5 kg environ)

8 clous de girofle

1 cuillerée à soupe
d'huile d'olive

1 cuillerée à café
de cannelle en poudre

1 cuillerée à café
de baies roses

1 cuillerée à café
de baies de coriandre

1 cuillerée à café de sel

20 cl de sirop d'érable

1- Préchauffer le four à 160 °C.

2- Avec la pointe d'un couteau, faire de petites incisions
dans le jarret et y enfoncer les clous de girofle.

3- Dans une cocotte, verser l'huile et y placer le jarret.
Faire griller à feu moyen quelques minutes en le retournant.

4- Écraser les baies roses et de coriandre dans un mortier.

5- Ajouter les épices dans la cocotte puis verser 15 cl d'eau
et le sirop d'érable. Couvrir et enfourner. Laisser cuire 5 heures.
Arroser toutes les heures le jarret avec le jus de cuisson.

« TIRE » SUCETTES GLACÉES

15 MIN DE PRÉPARATION – 15 MIN DE CUISSON – 15 H DE CONGÉLATION

1 - Remplir un grand plat rectangulaire d'eau et le réserver au congélateur toute une nuit.

2 - Verser le sirop d'érable dans une casserole et le faire bouillir 15 minutes à feu vif jusqu'à ce qu'il caramélise et prenne une couleur foncée. Pour savoir s'il est prêt, verser 1 goutte dans de l'eau glacée. Si la boule se fige, c'est que le caramel d'érable est prêt.

3 - Sortir le plat du congélateur et y verser le sirop d'érable en formant des languettes. Attendre quelques secondes qu'il se fige. Placer 1 bâtonnet au bout de la languette et rouler le sirop d'érable.

4 - Disposer les sucettes couchées sur le bloc de glace et réserver 3 heures au congélateur avant de déguster.

POUR 4 À 6 SUCETTES GLACÉES

25 cl de sirop d'érable

TARTINADE À L'ÉRABLE

5 MIN DE PRÉPARATION – 2 MIN DE CUISSON – 12 H DE RÉFRIGÉRATION

POUR 1 POT DE 350 G

150 g de beurre doux
150 g de purée d'amandes
2 pincées de cannelle
en poudre
10 cl de sirop d'érable

1- Faire fondre le beurre à feu doux avec la purée d'amandes. Dès qu'il est fondu, mettre hors du feu et mélanger.
2- Ajouter la cannelle et le sirop d'érable puis bien remuer.
3- Verser dans un pot et laisser reposer toute une nuit au réfrigérateur. Tartiner sur du pain ou des crêpes.

TARTE AUX MYRTILLES AU SIROP D'ÉRABLE

20 MIN DE PRÉPARATION – 1 H DE CUISSON – 1 H 15 DE REPOS

POUR 8 PERSONNES

LA PÂTE BRISÉE

100 g de beurre doux
+ pour le moule

25 g de sucre de canne
blond

150 g de farine de blé
semi-complète (T80)

LA GARNITURE

75 g de beurre doux, mou

100 g de sucre de canne
blond

125 g de poudre
d'amandes

3 cuillerées à soupe
de sirop d'érable

1 cuillerée à soupe
de farine

1 œuf

le zeste de ½ citron

200 g de myrtilles
sauvages (fraîches
ou surgelées)

1- Préchauffer le four à 180 °C.
2- Dans une casserole, faire fondre le beurre à feu doux.
Ajouter 1 cuillerée à soupe d'eau, le sucre et la farine.
3- Mettre hors du feu et bien mélanger pour former la pâte
en boule. Laisser reposer 15 minutes.
4- Foncer la pâte dans un moule à tarte de 20 cm de diamètre
préalablement beurré. Enfourner et laisser cuire 15 minutes
à blanc. Laisser refroidir.
5- Dans un saladier, mélanger le beurre mou, le sucre,
la poudre d'amandes, le sirop d'érable, la farine, l'œuf et le
zeste de citron. Verser la garniture sur le fond de tarte puis
ajouter les myrtilles.
6- Enfourner et laisser cuire 45 minutes jusqu'à ce que la tarte
soit dorée. Laisser reposer 1 heure à température ambiante
avant de servir.

CONSEIL : Pour les habitants de la Belle Province, remplacer
évidemment les myrtilles par des bons bleuets du lac St-Jean !

PUDDING CHÔMEUR AU SIROP D'ÉRABLE & FRUITS DE SAISON

15 MIN DE PRÉPARATION – 25 MIN DE CUISSON

POUR 8 À 10 PERSONNES

LE SIROP

25 cl de sirop d'érable

25 cl de crème liquide

LA PÂTE

60 g de beurre doux, mou

100 g de sucre de canne blond

1 œuf

1 gousse de vanille

190 g de farine blanche

1 cuillerée à café de bicarbonate de soude

1 pincée de sel

9 cl de lait entier

1- Dans une casserole, mélanger le sirop d'érable et la crème liquide. Porter à ébullition et verser dans un moule à soufflé.

2- Préchauffer le four à 200 °C.

3- Dans un bol, fouetter vigoureusement le beurre et le sucre. Ajouter l'œuf, les graines de la gousse de vanille et fouetter de nouveau.

4- Dans un saladier, mélanger la farine avec le bicarbonate de soude et le sel. Verser petit à petit dans le mélange précédent en alternant avec le lait. Travailler à la spatule jusqu'à ce que le mélange soit homogène. Verser l'appareil dans le moule à soufflé.

5- Enfourner et laisser cuire 20 minutes. Vérifier la cuisson avec la pointe d'un couteau : elle doit ressortir sèche. Laisser tiédir. Ajouter des morceaux de fruits de saison avant de déguster.

« FUDGE » AUX NOIX DE PÉCAN CARAMÉLISÉES

10 MIN DE PRÉPARATION – 3 H DE RÉFRIGÉRATION

POUR 20 CARRÉS ENVIRON

200 g de noix de pécan

3 cuillerées à soupe de sirop d'érable

150 g de chocolat au lait

150 g de chocolat noir

10 cl de lait concentré

1- Concasser grossièrement les noix de pécan. Les mettre dans une poêle avec le sirop d'érable et laisser cuire quelques minutes à feu vif, en remuant, jusqu'à ce qu'elles soient caramélisées. Réserver.

2- Râper les chocolats.

3- Les faire fondre ensemble au bain-marie avec le lait concentré et 2 cuillerées à soupe d'eau. Bien remuer. Ajouter les noix de pécan caramélisées.

4- Verser la préparation dans un moule rectangulaire d'environ 20 x 10 cm préalablement garni de papier sulfurisé. Réserver 3 heures au réfrigérateur avant de découper en carrés.

SAVARIN AUX PÊCHES & SIROP D'ÉRABLE

20 MIN DE PRÉPARATION – 30 MIN DE CUISSON

POUR 8 À 10 PERSONNES

180 g de beurre mou
+ pour le moule

180 g de sucre de canne blond

3 œufs + 3 jaunes

1 gousse de vanille

180 g de farine blanche

3 pêches

20 cl de sirop d'érable

1- Préchauffer le four à 165 °C.

2- À l'aide d'un fouet électrique, battre le beurre avec le sucre jusqu'à ce que le mélange blanchisse.

3- Dans un bol, fouetter les œufs avec les jaunes. Ajouter les graines de la gousse de vanille et battre de nouveau.

4- Verser ce mélange sur le beurre et battre au fouet électrique encore 1 minute.

5- Tamiser la farine sur ce mélange en trois fois.

6- Couper les pêches en quartiers.

7- Déposer les quartiers de pêche au fond d'un moule à savarin préalablement beurré puis ajouter le sirop d'érable et recouvrir de pâte.

8- Enfourner et laisser cuire 30 minutes. Laisser tiédir avant de démouler.

CARRÉS AUX DATTES & SIROP D'ÉRABLE

45 MIN DE PRÉPARATION – 50 MIN DE CUISSON

POUR 20 PETITS CARRÉS ENVIRON

LA PURÉE AUX DATTES

500 g de dattes
« Medjool »

le jus de ½ citron

2 cuillerées à soupe
de sirop d'érable

½ cuillerée à café
de bicarbonate de soude

LE CROUSTILLANT

150 g de beurre doux,
mou

100 g de sucre
de canne blond

200 g de farine
blanche

400 g de petits
flocons d'avoine

1 - Dénoyauter et hacher les dattes.

2 - Dans une casserole, mettre les dattes hachées, le jus de citron, le sirop d'érable et 20 cl d'eau. Porter à ébullition. Dès que l'eau bout, continuer la cuisson à feu moyen, ajouter le bicarbonate de soude et remuer jusqu'à ce que les dattes deviennent de la purée. Réserver.

3 - Préchauffer le four à 180 °C.

4 - Dans un bol, battre le beurre avec le sucre. Ajouter la farine puis les flocons d'avoine. Bien mélanger.

5 - Dans un moule carré d'environ 18 cm de côté préalablement garni de papier sulfurisé, étaler une première couche de croustillant, puis la purée de dattes et enfin une dernière couche de croustillant. Enfourner et laisser cuire 40 minutes jusqu'à ce que le dessus soit doré.

BISCUITS À LA FARINE D'AVOINE
& GLAÇAGE AU SIROP D'ÉRABLE

15 MIN DE PRÉPARATION – 20 MIN DE CUISSON

POUR 8 BISCUITS

100 g de beurre mou

1 cuillerée à soupe bombée
de sucre de canne blond

120 g de farine d'avoine

1 pincée de sel

60 g de sucre glace

30 g de sirop d'érable

1- Préchauffer le four à 180 °C.
2- Battre le beurre avec le sucre.
3- Ajouter la farine et le sel puis mélanger délicatement. Former la pâte en boule.
4- Prélever un peu de pâte à biscuits et former une boule. La déposer sur la plaque du four préalablement garnie de papier sulfurisé et l'aplatir légèrement avec la paume de la main. Répéter l'opération pour les 8 biscuits.
5- Enfourner et laisser cuire 20 minutes. Laisser refroidir.
6- Préparer le glaçage : mélanger le sucre glace et le sirop d'érable et y tremper le dessus des biscuits. Les disposer sur une grille pour les égoutter.

30

« CROUSTADE » AUX POMMES,

NOIX & SIROP D'ÉRABLE

15 MIN DE PRÉPARATION – 30 MIN DE CUISSON

1 - Préchauffer le four à 180 °C.

2 - Éplucher et couper les pommes en quartiers en prenant soin d'enlever les pépins et le cœur.

3 - Dans une poêle faire revenir 10 minutes environ les quartiers de pomme avec 1 cuillerée à café de beurre, le sirop d'érable et la cannelle moulu. Réserver.

4 - Dans un bol, mélanger la farine, le sucre et les noix hachée. Ajouter le beurre et sabler du bout des doigts jusqu'à ce que le beurre soit complètement intégré à la farine.

5 - Poser une feuille de papier sulfurisé sur un plaque de cuisson, étaler la « croustade » sur la plaque et faire cuire au four 20 minutes jusqu'à ce qu'elle soit dorée.

6 - Disposer les pommes dans une assiette ou un plat de service, parsemer de croustade et servir.

POUR 4 PERSONNES

4 pommes rouges
15 cl de sirop d'érable
2 pincées de cannelle en poudre
100 g de farine semi-complète (W)
75 g de sucre de canne blond
2 cuillerées à soupe de noix hachées
75 g de beurre doux, mou + pour la cuisson

GÂTEAU AUX CAROTTES & SIROP D'ÉRABLE

30 MIN DE PRÉPARATION — I H DE CUISSON

POUR 8 PERSONNES

LA COMPOTE DE POMME

1 pomme rouge

le jus de ½ citron

5 cl de sirop d'érable

LA PÂTE À GÂTEAU

3 œufs

150 g de sucre de canne

15 cl d'huile de tournesol

2 grosses carottes

2 c. à s. de noix hachées

2 c. à s. de raisins secs

½ c. à c. de cannelle

½ c. à c. de 4 épices

½ c. à c. de sel

2,5 c. à c. de poudre à lever

180 g de farine blanche

LE GLAÇAGE (FACULTATIF)

100 g de fromage frais

25 ml de sirop d'érable

1- Éplucher et couper la pomme en cubes en prenant soin d'enlever le cœur et les pépins.

2- Les mettre dans une petite casserole avec le jus de citron, 1 filet d'eau et le sirop d'érable. Laisser cuire à feu doux pendant 15 minutes. Mixer jusqu'à obtenir une compote lisse. Réserver.

3- Préchauffer le four à 180 °C.

4- Dans un bol, battre les œufs avec le sucre, l'huile et la compote de pomme.

5- Râper les carottes.

6- Dans un autre bol, mélanger la farine avec la poudre à lever, les épices, les noix, les raisins et les carottes râpées.

7- Former un puits au centre et y verser la préparation aux œufs. Mélanger délicatement à l'aide d'une spatule jusqu'à ce que la pâte soit homogène.

8- Verser l'appareil dans un moule à cake préalablement huilé. Enfourner et laisser cuire 45 minutes. Laisser tiédir 15 minutes avant de démouler.

9- Mélanger le fromage frais avec le sirop d'érable. Une fois le gâteau complètement refroidi, étaler le glaçage à l'aide d'une spatule ou d'un couteau à beurre.

« SUNDAE » & SON CARAMEL À L'ÉRABLE

10 MIN DE PRÉPARATION – 10 MIN DE CUISSON – 1 H DE REPOS

POUR 1 SUNDAE

2 ou 3 boules de glace
à la vanille

20 g de chocolat noir

25 ml de sirop d'érable

1 cuillerée à café
de confiture de griottes
(ou une cerise fraîche)

1- Préparer le coulis de chocolat : râper le chocolat et le faire fondre au bain-marie avec 3 cuillerées à soupe d'eau. Bien mélanger et laisser refroidir.

2- Dans une petite casserole, porter à ébullition le sirop d'érable pendant 3 à 4 minutes. Laisser refroidir.

3- Lorsque le chocolat et le caramel d'érable sont refroidis, verser le chocolat fondu au fond d'un grand verre ou d'une coupe à dessert. Ajouter les boules de glace, napper de caramel d'érable et décorer avec la confiture de griottes.

KETCHUP MAISON AUX GRIOTTES & SIROP D'ÉRABLE

10 MIN DE PRÉPARATION

**POUR 300 G DE
KETCHUP ENVIRON**

1 échalote

1 gousse d'ail

1 tomate

4 cuillerées à soupe
de concentré de tomates

1 cuillerée à soupe
d'huile d'olive

3 cuillerées à soupe
de sirop d'érable

1 cuillerée à soupe
de confiture de griottes

2 cuillerées à soupe
de vinaigre de vin

1 cuillerée à café
de baies de coriandre

1 pincée de piment
en poudre

1 pincée de sarriette

1 pincée de sauge

1- Éplucher l'échalote et la gousse d'ail.

2- Hacher finement l'échalote, la gousse d'ail et la tomate.

3- Écraser les baies de coriandre dans un mortier.

4- Mélanger tous les ingrédients dans un bol. Remuer
pour bien mélanger les saveurs.

POIS GOURMANDS À LA PURÉE DE CACAHUÈTES & SIROP D'ÉRABLE

15 MIN DE PRÉPARATION – 15 MIN DE CUISSON

POUR 4 PERSONNES

1 kg de pois gourmands

2 cm de racine
de gingembre

1 gousse d'ail

4 cuillerées à soupe
de purée de cacahuètes
nature (non sucrée)

15 cl de crème liquide
légère

½ cuillerée à café d'huile
de sésame toasté

3 cuillerées à soupe
de sauce soja

3 cuillerées à soupe
de sirop d'érable

8 cuillerées à soupe
de coriandre ciselée

le jus de 1 citron vert

1- Laver et faire cuire les pois gourmands à la vapeur pendant 10 minutes : ils doivent rester croquants.

2- Éplucher et presser le gingembre et la gousse d'ail.

3- Dans une petite casserole, mettre la purée de cacahuètes, la pulpe d'ail et de gingembre, l'huile de sésame, la sauce soja et le sirop d'érable. Bien remuer. La mettre dans une casserole d'eau bouillante et faire cuire au bain-marie. Ajouter la crème par petits filets.

4- Une fois que les pois gourmands sont cuits, les répartir dans des assiettes. Napper de sauce, parsemer de coriandre ciselée et arroser de quelques gouttes de jus de citron vert.

SAUCE SALADE AU SAKÉ & SIROP D'ÉRABLE

5 MIN DE PRÉPARATION

1- Mettre tous les ingrédients dans un pot.
Fermer et secouer vigoureusement.
2- Servir la sauce en accompagnement
d'une salade ou de légumes verts.

POUR 4 PERSONNES

½ cuillerée à café
de moutarde forte

1 cuillerée à soupe
de crème liquide

1 cuillerée à soupe
de crème de balsamique

1 cuillerée à soupe
de saké

1 cuillerée à soupe
de sirop d'érable

1 cuillerée à soupe
de ciboulette ciselée

VELOUTÉ DE PANAIS, CAROTTE, GINGEMBRE
& POIRE AU SIROP D'ÉRABLE

15 MIN DE PRÉPARATION – 30 MIN DE CUISSON

POUR 4 PERSONNES

1 patate douce

2 panais

2 carottes

1 oignon doux

3 cm de gingembre frais

2 poires

2 cuillerées à soupe d'huile d'olive

1 cube de bouillon de volaille

5 cl de sirop d'érable

1 cuillerée à café de baies roses

1- Éplucher la patate douce, les panais, les carottes, l'oignon et le gingembre. Les couper en gros morceaux.

2- Couper les poires en gros morceaux en prenant soin d'enlever les pépins et le cœur.

3- Dans un grand faitout, faire revenir le tout dans l'huile d'olive quelques minutes à feu moyen, en remuant fréquemment. Recouvrir d'eau, ajouter le cube de bouillon puis le sirop d'érable. Remuer pour bien répartir les légumes. Laisser cuire 30 minutes et mixer.

4- Piler le poivre rose et l'ajouter dans les bols avant de servir.

41

CARPACCIO DE BŒUF & CITRONNELLE
À LA GELÉE DE SIROP D'ÉRABLE

10 MIN DE PRÉPARATION – 1 MIN DE CUISSON – 2 H DE RÉFRIGÉRATION

POUR 4 PERSONNES

800 g de carpaccio de bœuf

½ cuillerée à café d'agar-agar (ou 1 feuille de gélatine)

10 cl de sirop d'érable

1 grosse échalote

1 tige de citronnelle

1 cuillerée à café de sauce soja

2 cuillerées à soupe d'huile d'olive

1- Délayer l'agar-agar dans 25 ml d'eau froide. Verser le tout dans une petite casserole et porter 1 minute à ébullition. Mélanger avec le sirop d'érable et réserver 2 heures au réfrigérateur.

2- Éplucher l'échalote. Hacher l'échalote et la citronnelle finement.

3- Mélanger la sauce soja avec l'huile, l'échalote et la citronnelle hachées.

4- Disposer les tranches de carpaccio sur une grande assiette de service. Ajouter la garniture puis la gelée d'érable.

CAMEMBERT FONDU AUX AMANDES,
CANNEBERGES & SIROP D'ÉRABLE

5 MIN DE PRÉPARATION – 20 MIN DE CUISSON

POUR 2 PERSONNES

1 camembert

1 cuillerée à soupe
d'amandes effilées

1 cuillerée à soupe
de canneberges séchées

2 cuillerées à soupe
de sirop d'érable

4 tranches de pain
de campagne au levain

1- Préchauffer le four à 180 °C.

2- Dans une poêle, torréfier les amandes effilées
pendant 2 minutes.

3- Couper le dessus du camembert et y mettre
les canneberges, les amandes et le sirop d'érable.
Refermer le camembert.

4- Enfourner et laisser cuire 15 minutes.

5- Pendant ce temps, faire griller les tranches de pain
puis les couper en mouillettes.

6- Servir le camembert accompagné des mouillettes.

SALADE JAPONAISE DE NOUILLES SOBA, SAUCE AU SIROP D'ÉRABLE

10 MIN DE PRÉPARATION — 10 MIN DE CUISSON

POUR 4 PERSONNES

250 g de nouilles soba

1 poireau

2 cm de gingembre frais

1 gousse d'ail

2 cuillerées à soupe de graines de sésame noir

1 cuillerée à café d'huile de sésame toasté

2 cuillerées à soupe d'huile de pépins de raisin (ou huile neutre)

2 cuillerées à soupe de sauce soja

2 cuillerées à soupe de sirop d'érable

4 cuillerées à soupe de coriandre ciselée

1- Porter une casserole d'eau à ébullition. Y plonger les nouilles soba et laisser cuire 4 minutes. Égoutter et rincer à l'eau froide.

2- Laver et émincer le poireau. Le faire revenir à feu doux dans 1 cuillerée à soupe d'huile pendant 5 minutes. Réserver.

3- Éplucher le gingembre et l'ail puis presser leur pulpe. Les mélanger avec le sésame noir, les huiles, la sauce soja et le sirop d'érable.

4- Servir les nouilles soba accompagnées de la sauce, du poireau et parsemées de coriandre ciselée.

PANCAKES À LA FARINE DE PETIT ÉPEAUTRE
& SIROP D'ÉRABLE

30 MIN DE PRÉPARATION – 8 MIN DE CUISSON

POUR 4 PERSONNES

300 g de farine de petit épeautre demi-complète

2 cuillerées à soupe de sucre de canne blond

1 cuillerée à café de bicarbonate de soude

2 pincées de sel

2 œufs

30 g de beurre doux + pour la cuisson

40 cl de lait

400 g de fruits de saison crus

20 cl de sirop d'érable

1- Préchauffer le four à 100 °C.

2- Dans un saladier, mélanger la farine, le sucre, la poudre à lever et le sel. Creuser un puits au centre.

3- Dans un bol, fouetter les œufs.

4- Intégrer progressivement les œufs à la farine en remuant du centre vers l'extérieur.

5- Faire fondre le beurre et le verser dans la préparation. Ajouter le lait, petit à petit, en fouettant continuellement afin d'éviter la formation de grumeaux.

6- Dans une poêle, faire fondre 1 noix de beurre puis verser 1 louche de pâte. Faire dorer le pancake quelques minutes de chaque côté. Réserver au four pendant la cuisson des pancakes suivants.

7- Déposer les pancakes sur une assiette. Ajouter des fruits de saison coupés en morceaux et napper de sirop d'érable.

FEUILLETÉ DE FIGUES À LA CRÈME DE ROQUEFORT & SIROP D'ÉRABLE

30 MIN DE PRÉPARATION – 8 MIN DE CUISSON

POUR 4 PERSONNES

1 douzaine de figues

6 grandes feuilles
de brick (ou pâte filo)

25 g de beurre doux

100 g de crème
de roquefort

8 cuillerées à soupe
de sirop d'érable

1- Préchauffer le four à 180 °C.

2- Découper 12 ronds de 10 cm de diamètre dans les feuilles de brick. Dans une casserole, faire fondre le beurre.
En badigeonner les ronds de feuilles de brick des deux côtés.

3- Déposer les ronds sur la plaque du four préalablement garnie de papier sulfurisé. Enfourner et laisser cuire 8 minutes. Laisser tiédir.

4- Couper les figues en tranches.

5- Tartiner les ronds de crème de roquefort puis y déposer quelques tranches de figue. Superposer au total 3 ronds pour chacune des portions. Terminer avec les tranches de figue.

6- Arroser chaque feuilleté de 2 cuillerées à soupe de sirop d'érable et servir aussitôt.

TRUITE AU MISO & SIROP D'ÉRABLE

10 MIN DE PRÉPARATION – 20 MIN DE CUISSON

POUR 4 PERSONNES

4 truites vidées

1 cuillerée à soupe
de miso de riz

2 cuillerées à soupe
de sirop d'érable

1 cuillerée à soupe
d'huile d'olive

½ cuillerée à café
de gingembre en poudre

½ cuillerée à café
de piment d'Espelette

1- Préchauffer le four à 180 °C.

2- Placer les truites dans un plat allant au four.

3- Mélanger le miso avec le sirop d'érable, l'huile d'olive,
le gingembre et le piment en poudre.

4- À l'aide d'un pinceau, laquer les truites de sauce sur toute
leur longueur.

5- Enfourner et laisser cuire 20 minutes.

SALADE DE ROQUETTE AUX MIETTES DE BOUDIN NOIR, POMMES VERTES & SIROP D'ÉRABLE

10 MIN DE PRÉPARATION – 10 MIN DE CUISSON

POUR 4 PERSONNES

200 g de boudin noir

1 cuillerée à soupe
d'huile d'olive

1 cuillerée à soupe
de farine

4 poignées de roquette

2 pommes vertes

2 endives

4 cuillerées à soupe
d'huile de noisette

4 cuillerées à soupe
de sirop d'érable

1- Ouvrir le boudin en deux dans le sens de la longueur.
Prélever la chair et l'émietter du bout des doigts.
2- Dans une grande poêle, faire revenir pendant 10 minutes
les miettes de boudin avec l'huile d'olive et la farine
en remuant fréquemment.
3- Émincer les endives et couper les pommes vertes
en petits bâtonnets.
4- Laver et essorer la roquette.
5- Poser 1 poignée de roquette dans chacune des assiettes,
ajouter des endives, des miettes de boudin et des bâtonnets
de pomme verte.
6- Mélanger l'huile de noisette et le sirop d'érable. En napper
la salade puis servir.

CARPACCIO D'ANANAS AU THÉ VERT & SIROP D'ÉRABLE

15 MIN DE PRÉPARATION – 5 MIN DE CUISSON

POUR 4 PERSONNES

2 ananas Victoria

1 citron vert

1 cm de gingembre frais

1 cuillerée à café de thé vert fruité

1 cuillerée à café de sésame noir

5 cl de sirop d'érable

1- Enlever la peau des ananas. Les couper en fines lamelles.

2- Prélever le zeste de la moitié du citron vert.

3- Éplucher la racine de gingembre et la râper finement.

4- Porter 5 cl d'eau à ébullition.

5- Mélanger le zeste de citron, le gingembre râpé et le thé vert. Verser l'eau bouillante dessus et laisser infuser 5 minutes.

6- Pendant ce temps, dans une poêle, faire torréfier les graines de sésame pendant 1 minute.

7- Répartir les tranches d'ananas sur les assiettes, arroser de quelques cuillerées à soupe d'infusion puis de sirop d'érable et parsemer de sésame noir grillé.